DOUMY
LE LAPIN HARDI

Je m'appelle Doumy et je suis né,
avec mon frère Toufou, dans un terrier
creusé entre les racines d'un grand hêtre.
Au début, notre maman lapin venait
nous allaiter plusieurs fois par jour, avant
de repartir en fermant soigneusement
l'entrée du terrier avec de l'herbe et de
la mousse. Car nous avons de nombreux
ennemis, dont les plus redoutables sont
les belettes, les hiboux et les renards.

Lorsque nous avons été capables de tenir nos oreilles bien droites et de courir assez vite, maman nous a enfin permis de sortir du terrier.
Ce fut merveilleux. L'air était frais, il y avait des fleurs et des papillons de toutes les couleurs et des oiseaux voltigeaient autour de nous en gazouillant.
De jour en jour, nous sommes ainsi devenus plus forts et plus aventureux.

Trois mois passèrent ainsi. Et puis un soir, en rentrant chez nous, mon frère et moi, nous avons constaté que maman avait préparé un petit lit d'herbes sèches. Cela signifiait qu'elle allait bientôt donner naissance à de nouveaux bébés lapins et que nous étions devenus assez grands pour nous trouver un autre terrier. C'est ainsi que cela se passe dans le monde des lapins.

Notre première journée de liberté fut superbe ! Nous avons découvert un champ de trèfle et nous nous sommes régalés... avant d'être obligés d'en partir, car c'était le territoire d'une famille de campagnols. Ensuite, près d'un champ cultivé par les hommes, nous avons trouvé une feuille de papier où était dessiné un lapin qui tenait un bouquet de fleurs dans une patte et une carotte dans l'autre. Les carottes, j'adore ça ! Nous en avions trouvé un jour en explorant le territoire des hamsters.

Cette nuit-là, j'étais en train de rêver à d'immenses champs de carottes,
quand je fus réveillé par mon frère Toufou.

« Viens vite voir ! dit-il. Il se passe de drôles de choses. »

Le cœur battant, nous nous sommes glissés derrière un gros arbre. Le clair
de lune éclairait des belettes qui avançaient en file indienne en transportant
des œufs de hibou vers leur tanière.

« Les belettes ne mangent que des œufs ? demanda Toufou.

– Oh non ! lui répondis-je. Elles mangent aussi les petits lapins !

– Peut-être qu'elles aiment aussi les carottes, reprit mon frère. Je suis sûr
qu'on en trouverait dans leur tanière. »

Le mot carotte me mit l'eau à la bouche. Les belettes déposèrent les œufs dans leur tanière, puis repartirent à la recherche d'autres provisions. Quand toutes les belettes eurent disparu, je pris Toufou par la patte et l'entraînai vers la tanière. Nous étions morts de peur, mais cela ne nous empêcha pas d'entrer. À l'intérieur, nous avons trouvé des grenouilles, des souris et des œufs. Mais pas la moindre carotte.

Soudain, du fond de la tanière, je vis surgir une jeune belette qui bondit vers moi. Je réussis à l'éviter de justesse et pris aussitôt la fuite. J'allais être rattrapé, quand je tombai sur une touffe de pissenlits dont je cueillis une fleur et en soufflai la laine dans les yeux de la belette. Elle fut alors obligée de s'arrêter, ce qui me laissa le temps de disparaître dans les fourrés.

Un peu plus tard, après avoir retrouvé Toufou, nous avons fait la connaissance d'un petit faon à qui nous avons raconté notre aventure. Et nous sommes tous les trois tombés d'accord : les belettes devaient être punies. Non seulement pour avoir dérobé les œufs d'un hibou, qui est pourtant loin d'être notre ami, mais aussi pour les grenouilles, les souris... et les petits lapins, qui avaient tous le droit de vivre en paix.

Le faon alla donc raconter toute l'histoire à un écureuil. L'écureuil la raconta aussitôt à une pie. Et la pie, à son tour, alla expliquer au hibou comment ses œufs lui avaient été dérobés par les belettes.

Le hibou écouta la pie en silence, les yeux mi-clos. Puis il prit son envol pour aller se poster sur un arbre près de la tanière des belettes. Dès qu'il en voyait sortir une, il lui sautait dessus et lui flanquait une bonne correction !

À partir de ce jour, il n'y eut plus une seule belette dans la région.

Pour fêter l'événement, Toufou et moi avons décidé d'aller faire un tour
sur le territoire des hamsters où poussaient de jolies fleurs, les mêmes
que celles de l'image du lapin avec la carotte.

Nous avions déjà réuni un beau bouquet, quand nous avons vu sortir de terre
un hamster, puis deux, puis une dizaine. Ils étaient tous très en colère
et se mirent à nous injurier en disant que c'était leur territoire et que nous
n'avions pas le droit d'y cueillir des fleurs.

Tous criaient en même temps, ce qui faisait un tapage assourdissant.

Et puis ils se turent brusquement, l'air terrifié, avant de disparaître sous terre
aussi vite qu'ils en étaient sortis. Toufou et moi n'y comprenions rien.

Que se passait-il donc ?

Nous avons alors regardé derrière nous.

Nous avons alors compris : un jeune renard en quête d'une proie à se mettre sous la dent s'avançait vers nous. Toufou fut le premier à déguerpir et le renard se lança aussitôt à ses trousses.

Mon pauvre frère courait en zigzag et il avait si peur que lorsqu'il arriva au bord de la rivière, il tenta, sans hésiter, de la traverser.

Bondissant de rocher en rocher, il réussit finalement à atteindre l'autre rive.

Le renard voulut en faire autant. Mais au troisième bond, il perdit l'équilibre et tomba dans l'eau. Malgré tous ses efforts, il ne réussit pas à regagner la rive et le courant l'emporta au loin.

Après avoir rejoint Toufou, nous nous sommes lancés dans de joyeuses cabrioles. Les hamsters ont alors de nouveau fait leur apparition autour de nous, mais cette fois pour nous acclamer et nous remercier de les avoir débarrassés de leur pire ennemi, le renard.

Le chef des hamsters nous fit alors signe de le suivre et nous emmena
dans une galerie secrète qui serpentait sous les champs cultivés
par les hommes. Et là, nous avons eu du mal à en croire nos yeux,
en découvrant des dizaines... des centaines de carottes tendres et odorantes
qui sortaient du plafond : le rêve de tous les petits lapins gourmands !

Quand nous sommes ressortis de la galerie, tous les hamsters nous attendaient. Grâce à eux, nous étions maintenant propriétaires d'une véritable « mine » de carottes ! À la fin de la journée, nous avons remercié nos nouveaux amis, qui nous ont eux aussi remerciés une fois encore de les avoir débarrassés du renard. Puis nous sommes allés chercher les autres lapins du voisinage afin de les faire profiter de notre trésor. Pendant des dizaines et des dizaines de jours, nous nous sommes bien régalés. Et depuis lors, le mois d'avril est souligné en rouge sur le calendrier des lapins, car nous l'appelons « le mois des carottes » !